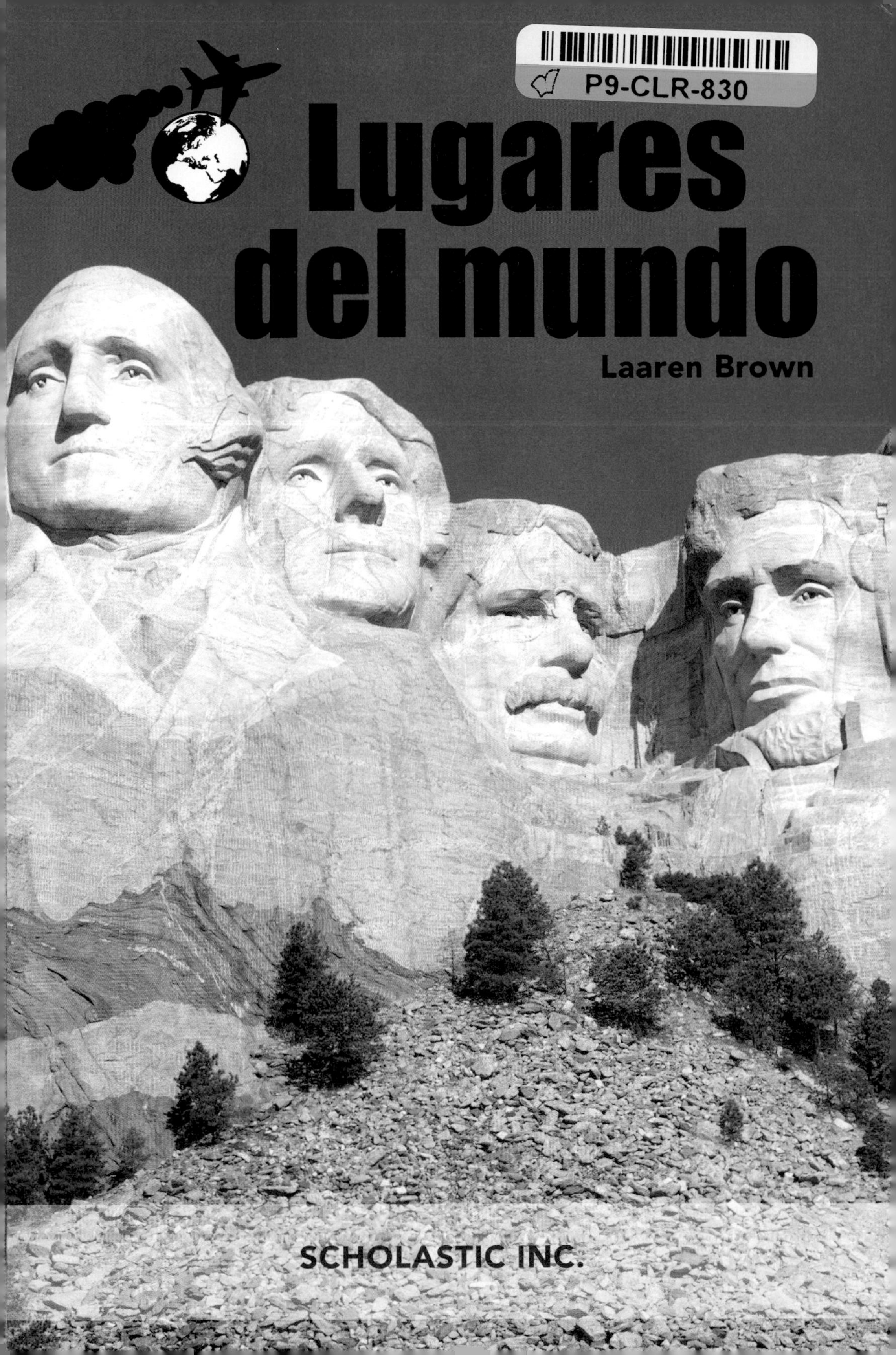

P9-CLR-830
Lugares del mundo
Laaren Brown
SCHOLASTIC INC.

¡Lee más! ¡Haz más!

Después de leer este libro, descarga gratis el libro digital.

Podrás demostrar tus destrezas de lectura.

Para Mac y PC

Verdadero o falso

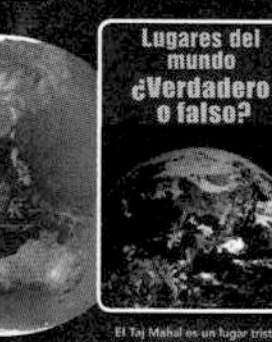

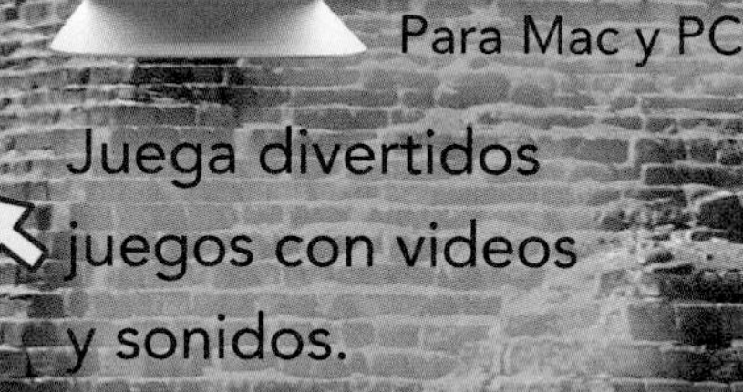

Juega divertidos juegos con videos y sonidos.

Visita el sitio **www.scholastic.com/discovermore/readers**

Escribe el código: **L3SP9TGPD443**

Contenido

ISBN 978-0-545-79762-7
12 11 10 9 8 7 6 5 4 3 2 16 17 18 19/0

Printed in the U.S.A. 40
First Spanish edition, January 2015
Scholastic hace esfuerzos constantes por reducir el impacto ecológico de nuestros procesos de manufactura. Para ver nuestras normas para la obtención de papel, visite www.scholastic.com/paperpolicy.

Lugares del mundo

Demos un viaje alrededor del mundo. Vamos a visitar los monumentos y edificios más famosos del planeta. Ellos nos enseñan muchas cosas sobre las personas que los construyeron y sobre su forma de vida. En algunos de esos monumentos y edificios vivieron reyes y emperadores. Otros se construyeron para proteger a

PIENSA **Si pudieras ir a cualquier lugar**

un país de sus enemigos. Y otros para recordar a personas importantes ya muertas. Los monumentos nos dicen qué cosas eran importantes para quienes los construyeron. Los pueblos se sienten orgullosos de sus monumentos.

PALABRA NUEVA
Los turistas visitan los **monumentos** de los países adonde van.
DILA EN VOZ ALTA

del mundo, ¿adónde irías?

América

El viaje comienza en una isla de la bahía de Nueva York con una estatua. La Estatua de la Libertad fue un regalo de Francia a Estados Unidos. Con ella, Francia quiso decir: "Ustedes aman la libertad,

"**Esa estatua está en la entrada del país al que acabas de llegar y representa la libertad.**"

Dr. Alan Kraut, Fundación Isla Ellis

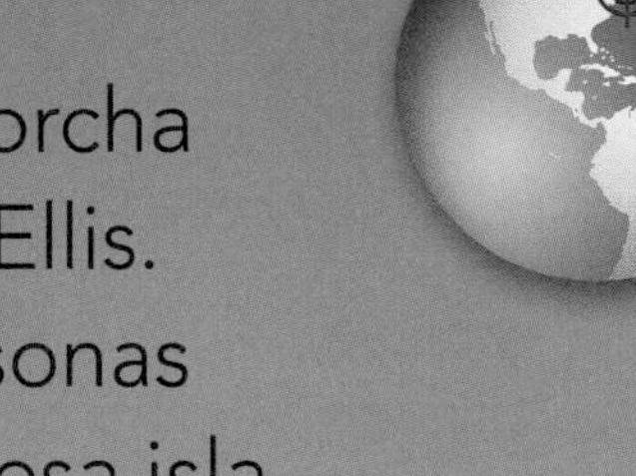

¡y nosotros también!". La antorcha señala el camino hacia la Isla Ellis. Durante más de 30 años, personas de todo el mundo llegaron a esa isla para entrar a Estados Unidos. La estatua es un símbolo de libertad.

PALABRA NUEVA

Las personas que tienen **libertad** pueden hacer lo que quieren.

DILA EN VOZ ALTA

¡Vengan, entren!

Entre 1851 y 1910, unos 25 millones de personas entraron a Estados Unidos por la Isla Ellis y otros lugares del país.

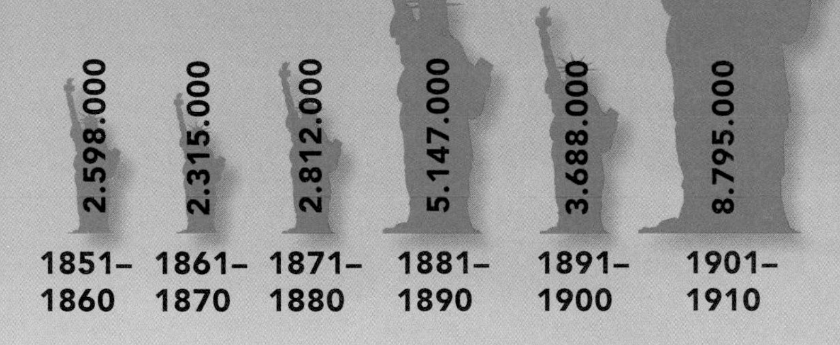

Viajemos 1.725 millas (2.776 km) al oeste hasta el monte Rushmore, en las Colinas Negras de Dakota del Sur. En 1927, el escultor Gutzon Borglum, con 400 trabajadores, comenzó a construir allí un monumento.

George Washington (presidente de 1789 a 1797)

Thomas Jefferson (presidente de 1801 a 1809)

El monte Rushmore antes del monumento

George Washington, casi terminado

Obreros esculpiendo en la montaña

Increíble

Detrás de las caras se comenzó

Sacaron toneladas de roca con dinamita y esculpieron caras gigantescas. Los rostros de cuatro presidentes de Estados Unidos nos miran desde la montaña. ¿Por qué fueron tan importantes? Ellos tenían grandes planes para el país y los hicieron realidad. El monte Rushmore inspira a los estadounidenses a trabajar unidos por su patria.

Theodore Roosevelt (presidente de 1901 a 1909)

Abraham Lincoln (presidente de 1861 a 1865)

a construir una sala secreta, pero nunca se terminó.

Hacia el oeste, en las montañas Rocosas, verás la inmensa Presa Hoover. No es solo bella, ¡es también muy útil! Ayuda a controlar la corriente del río Colorado y usa su fuerza para producir electricidad. La presa abastece de electricidad a 1,3 millones de personas de California, Nevada y Arizona.

El agua entra en las torres.

Presa Hoover

Presa Hoover

El agua pasa por las turbinas.

Río Colorado

La presa se comenzó a construir en la década de 1930. ¡Muchos decían que era imposible construirla! Pero Herbert Hoover, el presidente número 31 de Estados Unidos, apoyó el proyecto. Aún hoy es una de las estructuras más grandes del mundo. Más de un millón de personas la visitan cada año.

TURBINA

Los cables llevan la electricidad a las ciudades.

El agua hace girar las turbinas. Eso produce electricidad.

Viajemos a Perú, en América del Sur. ¡Al subir las montañas te parecerá que vas a tocar el Sol! En Machu Picchu, en los Andes, verás las ruinas de un fabuloso palacio. Hace casi 600 años estaba habitado. Fue construido para un emperador que quería vivir cerca del Sol.

Para los incas, el emperador no era solo su líder, era un dios. Por eso debía tener un lugar para descansar que fuera como la casa de un dios.

CRONOLOGÍA

1450

El emperador de los incas ordena construir Machu Picchu.

1455–1530

Los emperadores incas usan Machu Picchu como palacio de verano.

1524–1526

Dos terceras partes de los incas mueren de una enfermedad.

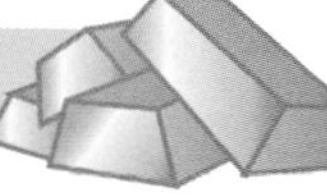

1532

Soldados españoles invaden Perú en busca de oro. Someten a los incas a la esclavitud.

década de 1530

Machu Picchu es abandonada. Los españoles nunca la hallaron.

1911

El estadounidense Hiram Bingham descubre las ruinas de Machu Picchu.

Europa

Comienza la visita a Europa en Italia. Roma es la capital de Italia. En su centro están las ruinas del antiguo Coliseo, construido por los antiguos romanos. El espectáculo más popular que se daba allí era el combate de gladiadores. ¡Hasta 75.000 espectadores asistían para ver a los gladiadores luchar hasta morir!

PALABRA NUEVA

En la antigua Roma, los **gladiadores** eran entrenados para luchar en espectáculos públicos.

DILA EN VOZ ALTA

El Partenón

Vayamos al este hasta Grecia. El Partenón es uno de los edificios más bellos de la antigüedad. Fue construido en honor a Atenea, la diosa griega de la sabiduría.

LOS GLADIADORES

Armas

Los gladiadores eran entrenados para luchar. Usualmente, sus combates eran a muerte.

Tridente

Daga

Red

Batallas

A veces los gladiadores sostenían combates en los que luchaban en carros de batalla tirados por caballos.

Animales salvajes

Bajo el coliseo había jaulas con tigres y leones. En algunos espectáculos los gladiadores luchaban contra esos animales.

Vayamos a Londres, la capital de Inglaterra. Junto al río Támesis se levanta un majestuoso castillo. Un rey construyó la Torre de Londres alrededor del año 1100, como símbolo de su poderío. Más tarde, parte de ella fue convertida en una oscura y terrible prisión. Allí estuvieron presas muchas personas

MUERTES EN LA TORRE

Ana Bolena

Una de las seis esposas del rey Enrique VIII. Ana fue decapitada en 1536.

Catalina Howard

Catalina fue otra de las esposas de Enrique VIII. Él la mandó a decapitar en 1542.

importantes. Algunas fueron torturadas y otras murieron en ese lugar. Hoy la torre es custodiada por unos soldados llamados Beefeaters. Seis cuervos viven en la torre. Se dice que si hay menos de seis cuervos, la torre, e Inglaterra, serían destruidas

Jane Grey

Reina de Inglaterra por solo nueve días, fue decapitada en 1554.

Robert Devereux

Desobedeció las órdenes de la reina Isabel I. Fue decapitado en 1601.

Imagina que estás en París, Francia, y es el 31 de marzo de 1889. ¡Serás la primera persona en subir a la Torre Eiffel! Los elevadores aún no están listos. Gustave Eiffel, el diseñador de la torre, te guía por las escaleras. Subes y subes hasta llegar a 906 pies (276 m) de altura. Poco después la bandera de Francia ondea al viento. Ves una multitud que aplaude en tierra. ¡El edificio más alto de París está abierto al público!

DATOS SOBRE LA TORRE EIFFEL

Pintura:
66 toneladas, cada 7 años

Altura:
1.063 pies (324 m)

Peso:
11.133 toneladas

Agosto de 1887

Marzo de 1888

Septiembre de 1888

Remaches: 2.500.000
Piezas de metal: 18.000

Elevadores: 7
Recorren 64.000 millas (103.000 km) al año

Escalones hasta la cima: 1.665

Otros lugares del mundo

Estás parado en la arena caliente del desierto cerca de El Cairo, en Egipto. Levanta la vista. Verás una enorme pirámide delante de ti. La Gran Pirámide es la única de las Siete Maravillas de la antigüedad que queda en pie. Fue construida hace unos 4.600 años. Era la tumba de un rey llamado Keops.

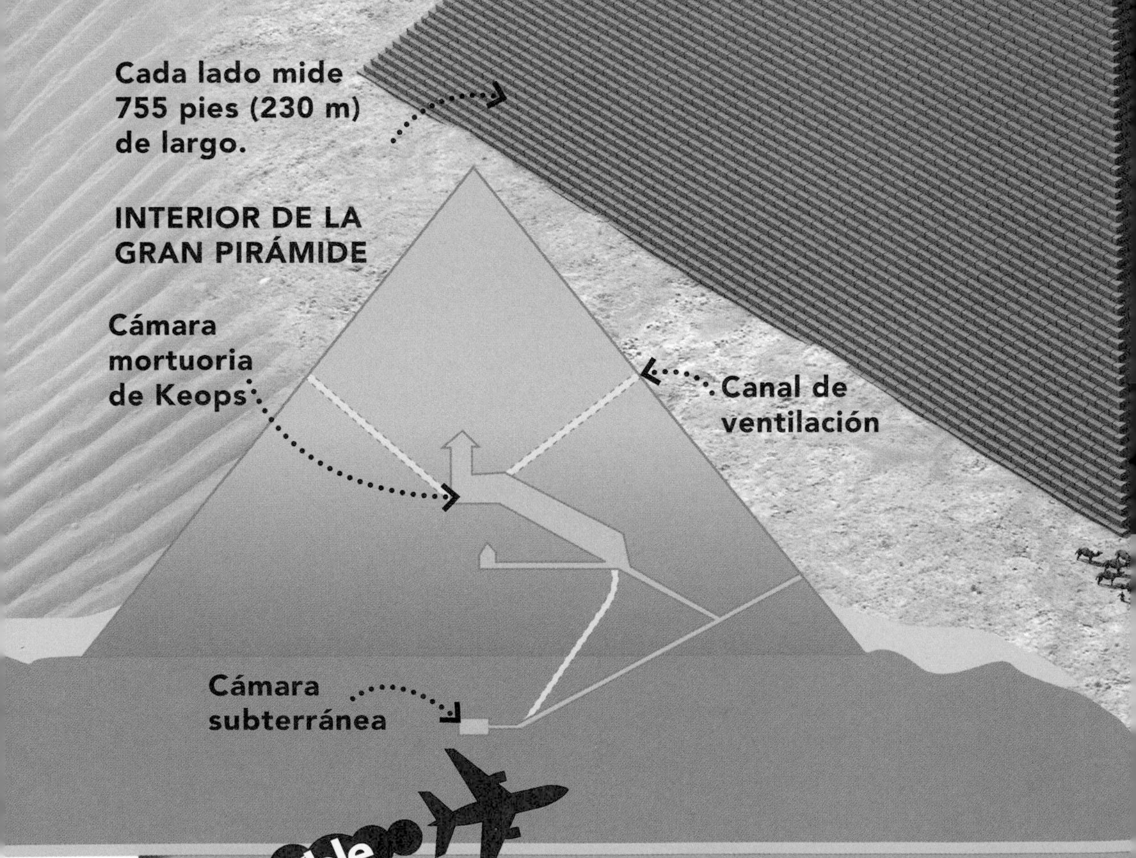

Cuando se construyó, la Gran

La Gran Pirámide fue construida con 2,3 millones de bloques de piedra. Fue el edificio más alto del mundo durante casi 4.000 años.

La Gran Pirámide (a la derecha), con otras dos antiguas pirámides

Halaban y empujaban las piedras por una rampa.

Los trabajadores vivían junto a la pirámide.

Pirámide medía más de 480 pies (146 m) de alto.

Miles de millas al este, verás la Gran Muralla China. Es la estructura más larga de la Tierra. El primer emperador de China la construyó para proteger el imperio. Cuando caminas sobre ella, puedes imaginar que eres un soldado chino que vigila la frontera.

En su parte más ancha la muralla mide 30 pies (9 m). Se dice que en su construcción murió un trabajador por cada pie de largo. Hoy algunas partes están en ruinas.

¿CUÁN LARGA ES?

En 2012, expertos chinos calcularon que la Gran Muralla mide 13.170 millas (21.195 km) de largo. ¡Eso es más del doble de lo que la gente pensaba antes de que se midiera la muralla! Si se pusiera en línea recta, la muralla recorrería la mitad de la Tierra.

Tiene una longitud cuatro veces mayor que el ancho de los Estados Unidos.

Es tan larga como la altura que tendrían 2.395 montes Everests puestos unos sobre otros.

Tiene la longitud de 7.728.366 personas tomadas de las manos...

o de 662.412 ballenas azules en fila.

Había una vez un emperador en el norte de la India que amaba profundamente a su esposa. Cuando su esposa murió, el emperador se puso muy triste. Decidió construirle una hermosa tumba de mármol, el Taj Mahal. Desde lejos la gente podía admirar su reluciente cúpula. Tenía cuatro alminares en las esquinas. Por dentro estaba decorada con bellas y coloridas gemas.

PALABRA NUEVA
Un **alminar** es una torre elevada desde donde se llama a la gente a rezar.
DILA EN VOZ ALTA

Esta es la historia de amor del Sha Jahan y su adorada esposa Mumtaz Mahal. Ella murió en 1631. Para construir su magnífica tumba en la ciudad de Agra, se necesitaron 22 años y 22.000 obreros. Cuando el emperador murió en 1666, pusieron su cuerpo junto al de su esposa. El Taj Mahal nos hace pensar en las personas que amamos y en las que hemos perdido.

Sha Jahan y Mumtaz Mahal

Nuestro viaje alrededor del mundo termina en otra bahía, en Australia. Ahora estás en el otro extremo del mundo, muy lejos de Nueva York, donde comenzó el viaje. ¿A qué se parece la Casa de la Ópera de Sídney? ¿No es verdad que parece un barco de velas? ¿O las alas de un pájaro?

El techo está cubierto por más de un millón de azulejos. Cada sección del mismo pesa unas 15 toneladas. Desde allí puedes ver el puente, cientos de barcos y el mar. Es una de las vistas más bellas del mundo. Y es el lugar ideal para terminar nuestro viaje.

¿Te gustaría ir?

Biósfera de Montreal

Muchos visitan este museo de ciencias de Canadá. El museo está en una inmensa cúpula de 249 pies (76 m) de ancho y 203 pies (62 m) de alto.

Base McMurdo

En este centro de investigación de EE.UU. en la Antártida viven y trabajan más de 1.000 personas. Es la "ciudad" más grande de la Antártida.

Nelson Mandela

Isla Robben

La cárcel de esta isla de la costa de Sudáfrica es muy famosa, pues allí estuvo preso Nelson Mandela. Fue liberado en 1990 tras 27 años de prisión.

PIENSA ¿Por qué son importantes los edificios

Viaducto de Millau

Este puente del sur de Francia es uno de los más altos del mundo. ¡Mide 1.125 pies (343 m) de alto! Atraviesa el valle del río Tarn.

Sede de la Organización de las Naciones Unidas

La Organización de las Naciones Unidas se creó en 1945. Su objetivo es mantener la paz entre las naciones. Su sede está en Nueva York. Más de un millón de personas la visitan cada año.

Burj Khalifa

Este rascacielos de Dubai es la estructura más alta construida por el ser humano. Mide 2.717 pies (828 m) de alto.

que aparecen en estas páginas?

Glosario

abandonar
Dejar algo o partir de un lugar y no volver a él.

alminar
Torre elevada desde donde se llama a la gente a rezar.

antiguo
Muy viejo, de hace mucho tiempo.

bahía
Área de la costa donde los barcos pueden llegar fácilmente.

Beefeater
Soldado que cuida la Torre de Londres.

carro de batalla
Pequeño vehículo de dos ruedas tirado por caballos.

coliseo
Edificio grande que se usa para eventos deportivos o recreativos.

cuervo
Pájaro carnívoro de plumaje negro.

cúpula
Techo amplio y redondeado.

decapitar
Matar a alguien cortándole la cabeza.

dinamita
Material explosivo que se usa para romper la roca.

electricidad
Tipo de energía con la que funcionan máquinas y lámparas.

emperador
Líder de un imperio.

esclavo
Persona que es propiedad de otra persona.

escultor
Persona que hace obras de arte tallando o dando forma a la piedra, la madera o un metal.

gladiador
Persona entrenada para luchar en los coliseos de la antigua Roma.

inca
Miembro de un pueblo indígena de Sudamérica que tuvo un imperio en Perú entre 1100 y 1530 aproximadamente.

monumento
Construcción que tiene valor artístico o histórico.

pirámide
Tumba construida por los antiguos egipcios para sus reyes. Una pirámide tiene cuatro lados en forma de triángulo.

presa
Barrera que se construye a través de un río para controlar su corriente.

rampa
Superficie inclinada que une dos puntos que están a diferentes niveles.

remache
Clavo que se aplasta en la punta para unir dos piezas de metal.

tumba
Edificación o cuarto en el que se pone el cuerpo de una persona muerta.

turbina
Máquina con paletas que son movidas por el agua, el viento o un gas.

viaducto
Puente por el que pasa una carretera o una vía de ferrocarril sobre un valle.

Índice

Créditos

Alamy Images: 26 main, 27 (BL Images Ltd.), 25 inset (Dinodia Photos), 8 tl (Everett Collection Historical), 28 bl (Friedrich von Horsten/Images of Africa Photobank), 15 rc (Henry Wismayer), 8 tc, 17 br (INTERFOTO), 17 inset (Peter Phipp/Travelshots.com), 10 inset (Radek Hofman), 28 cr (William Sutton/DanitaDelimont.com); Dreamstime: back cover (Aladin66), cover bg globes (Artman), 16 bg, 17 bg (Chrisdorney), cover tl (Dan Breckwoldt), 6 main, 7 main (Kenishirotie), 32 (Lowerkase), cover lct (Martin A. Graf), cover lcb (Miketanct), cover main (Sumners Graphics Inc.), cover br (Witr); Getty Images: 19 tl (De Agostini Picture Library), 16 br (Hans the Younger Holbein/The Bridgeman Art Library), 21 b inset (Manuel ROMARÍS), 19 tc, 19 tr (Roger Viollet/Hulton Archive), 28 bc (Tom Stoddart Archive); iStockphoto: 2 camel (jane), 16 spot (pictore), 7 b (ziggymaj); Library of Congress/Rise Studio, Rapid City, S. Dak.: 8 tr; Scholastic, Inc.: inside front cover silos, 8 b, 13 clock, 13 all other time line images, 20 b, 23 all other images; Shutterstock, Inc.: 4 bl (AG-PHOTO), 15 net (Aigars Reinholds), 4 br (Aleksandar Mijatovic), 29 tr (Alexander Ryabintsev), 5 tl (Alexander Studentschnig), 15 dagger (Ana Martinez de Mingo), 19 bl (Andrey_Kuzmin), 5 tr (Anton_Ivanov), 28 cl, 29 br (astudio), 24 bg border, 25 bg border (clearviewstock), 2 bg, 3 bg (Dan Breckwoldt), 30, 31 (DOPhoto), 28 tr, 28 br, 29 cl (ducu59us), 15 br (ehtesham), 15 bl (Eric Isselee), 5 bl (Galyna Andrushko), 17 bl (Georgios Kollidas), cover tr, 22 bg, 23 l (Hung Chung Chih), 14 main, 15 l bg (Iakov Kalinin), cover rcb (ivan bastien), 4 t (Jane Rix), 19 br (JPL Designs), 4 bc (Justin Black), 18 bl (Karramba Production), 12 main, 13 l (Lukasz Kurbiel), 7 t, 9 inset, 11 inset, 12 inset, 14 inset, 15 globe, 16 t inset, 18 inset, 21 t inset, 22 t inset, 24 inset, 26 inset (Maisei Raman), 16 c inset (Marina Jay), 28 tl (meunierd), 4 t bg, 5 t bg (mexrix), 29 tl (Migel), 5 br (Mikadun), 19 bc (motodan), 6 inset, 28 inset, 29 inset (nahariyani), 15 tl (Nick Pavlakis), 2 plane (Perfect Gui), 18 bg, 19 bg (r.nagy), 10 t bg, 11 t bg (rotofrank), 13 rct (sahua d), cover rct, 24 bg main, 25 bg main (saiko3p), 8 bg, 9 main (Shu-Hung Liu), 29 cr (Steve Broer), 18 br (Stocksnapper), 29 bl (SurangaSL), 22 b inset (Tan Kian Khoon), 15 trident (Thorsten Rust), 18 bc (Yulia Glam), 1 main (Zack Frank), cover bl; Tim Loughhead/Precision Illustration: 10 main, 11 main, 20 main, 21 bg.